Echte boeven?

Paul van Loon
Met illustraties van Jan Jutte

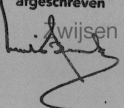

afgeschreven

Zwijsen

Paul van Loon

Lees! met

Plak hier je
eigen foto.

Op deze plaat maakt uw kind kennis met de belangrijkste personages uit het verhaal. Ook zijn enkele moeilijke woorden uitgebeeld. Bekijk deze plaat samen, voordat uw kind het verhaal gaat lezen.

Bos

Bif Briljant

Loodje

tapijt

diploma

losgeld

rooftocht

€ 1.000.000

miljoen

Boevenstreek

Het is nacht en stil.
Niets beweegt.
Plots zie je twee mannen in de straat.
Stil zetten ze een ladder onder een raam.
Dan klimmen ze een voor een omhoog.
Je hoort ze niet.
Maar dan …
'Au, domkop!
Je staat op mijn hand.'
'Pas op, de ladder valt, sufferd!'
Er klinkt een luid gekraak.
De mannen vallen van de ladder.
Midden in een grote struik.
'Daar, nou is de ladder stuk, sukkel!'
Uit de struik komt een hoofd en nog een
hoofd.
Het ene kijkt woest.
Het andere kijkt sip.
'Ik kon er niks aan doen, Bos.'
'Je bent een prul, Loodje.'
Het zijn Bos en Loodje.
Twee boeven, al zijn ze nog geen echte boef.

'Wat zullen ze nu zeggen?' gromt Bos.
'Wie?'
'De echte boeven, sul!'
'O, die,' zegt Loodje.
'Ja, die,' sist Bos.
'Die lachen ons uit, dat snap je.
Dan krijgen we geen diploma.
En zonder diploma zijn we geen echte boef.'
'O,' zegt Loodje.
'En wat nu?'
'Nu moet ik weer iets verzinnen.
Een streek.
Een streek van een boef.'

Ze kruipen een voor een uit de struik.
Bos is groot en dik.
Hij heeft een zwart pak aan.
En een hoed met een rand.
Loodje is klein en dun.
Hij heeft een lange jas aan.
En op zijn hoofd zit een sok.
Dat is zijn muts.
Boven in het huis gaat een lamp aan.
Het raam gaat open.

'Sst,' sist Bos.

'Wie is daar?' roept een stem.

'Miauw!' zegt Loodje.

'Ga weg, rotkat!'

Er gaat een schoen door de lucht.

Pats! Op de hoed van Bos.

Dan gaat het raam weer dicht.

'Oef,' gromt Bos.

Hij geeft Loodje een klap.

'Waarom deed je dat, uil?'

Met twee handen trekt hij de hoed van zijn
ogen.

'Deed het pijn?' vraagt Loodje.

'Kom mee,' gromt Bos.

'Hier wordt het toch niks.'

Een oude vrouw

De maan staat boven de huizen.
Door de straat gaan de twee.
Bos en Loodje zijn weer op zoek naar iets
moois.
Plots gaat er een deur open.
Een oude vrouw komt naar buiten.
Ze is krom en grijs.
Naast haar loopt haar hond, een tekkel.
'Hi hi, een worst op pootjes,' lacht Loodje.
'Stil,' zegt Bos zacht.
'Die vrouw heeft lef, zeg.
Zo alleen op straat.
In de nacht.
Daar krijgt ze spijt van.'
'Waarom dan?' vraagt Loodje.
'Wat denk je, domkop.
We pakken alles af.
Jij pakt de hond en ik pak haar geld.'
Op hun tenen gaan ze door de straat.
Heel stil achter de vrouw aan.
Ze hoort niks.
Zo sjokt ze voort in het licht van de maan.

Bos is vlak bij haar.
Zijn schaduw is groot.
Hij doet een stap ...
Loodje duikt op de hond.
Maar de vrouw keert zich net om.
Ze ziet Bos.
Ze pakt zijn arm.
Ze trekt er hard aan.
Ze neemt Bos in een heupworp.
Ze gooit hem door de lucht.
En gooit hem over een auto.
'Joechee' gilt de vrouw.
'Kom! We doen net als op de tv.
Pak hem, Tarzan!'
De hond blaft luid.
Hij springt tegen Loodje op.
'Help!' roept Loodje.
Tarzan zet zijn tanden in de sok op Loodjes
hoofd.
Zo neemt hij Loodje mee door de straat.
De vrouw sloft weer naar huis.
'Kom, Tarzan,' roept ze.
'Ga nu maar je plas doen.
Het was weer leuk.'

Bos en Loodje gaan snel weg.
'Vertel dit aan niemand,' hijgt Bos.
'Of ik maak soep van je.'
Loodje zegt niks.
Hij kijkt niet blij.
Er zit een gat in zijn sok.

Veel geld

'Nu weet ik het!' roept Bos.
'Wat?' vraagt Loodje.
'Wat we gaan doen, sul.
Ik heb iets bedacht.
Het is een echte streek van een boef.
We stelen een kind.'
'Wat doen wij met een kind?' zegt Loodje.
'We vragen er geld voor, ei!
Veel geld.'
'O,' zegt Loodje.
Ze staan voor het huis van meneer Briljant.
Meneer Briljant is rijk.
'Het stinkt hier,' zegt Loodje.
'Let op,' zegt Bos zacht.
'Meneer Briljant heeft één zoon.
Ik ga het huis in en ik steel die zoon.
Jij houdt hier de wacht.'
Bos gaat door een raam het huis in.
Het raam staat op een kier.
Wat dom van die Briljant, denkt Bos.
Dat is fijn voor een boef.
In de tuin staat Loodje op wacht.

14

Bos komt al snel weer terug.
Op zijn nek draagt hij een rol tapijt.
Hij legt de rol op de grond.
'Wat zit daarin?' vraagt Loodje.
'Een beer, nou goed!
De zoon van Briljant, snap je?'
Vlug maakt Bos een brief.

Briljant,
Wij hebben je zoon.
Wij willen geld.
Veel geld.
Één miljoen als het kan.

Het briefje doet hij om een kei.
Die kei gooit hij door een raam,
rink kink!
Dan horen ze een boze stem:
'Wat moet dat?'

16

Bif Briljant

Even is het stil.
Dan vliegt de kei weer uit het raam.
Er zit ook een brief om.
Vlug maakt Bos hem open.
Hij leest:

Haha, je mag hem houden.
Het is een rotkind.
Hij kost me alleen maar geld.
Dag!

Briljant.
(p.s. Hij heet Bif)

Bos zucht diep.
'Nou snap ik dat het raam niet dicht was.
Nu hebben we nog niks.
Alleen maar een kind dat Bif heet.'

Er komt geluid uit de rol.
'Laat hem maar los,' zegt Bos.
De zoon van Briljant komt uit de rol.
'Zo, nu ben ik van jullie,' zegt hij.

19

'Wat heb ik daaraan,' zegt Bos.
'Voor jou krijg ik geen geld.
En geen diploma.'
'Diploma?' zegt de zoon van Briljant.
'Ik heb ook geen diploma.
Ik ben uit school gezet.
En ook uit het zwembad.'
'Maar ik wil wel graag een diploma,' roept
Bos.
'Anders ben ik geen echte boef.'
Bif Briljant denkt na.
'Waarom steel je het dan niet?
Een echte boef pakt zelf een diploma.
Hij steelt het.'
Loodje kijkt Bos aan.
Dat is pas een goed idee.
'Van wie stelen we het?' vraagt Bos.
'O, sul.
Van de boeven, wat dacht je?' roept Loodje.

Diefstal

Ze zijn bij de hut van de boeven.
Die staat in het bos.
Bif Briljant is er ook bij.
Uit de hut komt veel lawaai.
Daar zijn de echte boeven.
Ze vieren een wild feest.
Ze zingen een lied.
Ze stampen op de vloer.
Ze slaan op de tafel.
Vlak bij het raam staat een kast.
Daar ligt veel papier.
Op een stapel.
Elk blad is een diploma.
Een echt diploma voor boeven.
De boeven zingen luid.
Ze letten niet op het raam.
Bos steekt een arm door het raam.
Loodje houdt zijn adem in.
Bos grijpt naar de stapel.
Bijna raakt zijn hand het papier.
De boeven zien niets.
Loodje steekt zijn arm ook door het raam.

En dan ...
Bif Briljant begint hard te roepen.
'Een dief. Een dief!'

Diploma voor ...

Als één boef kijken de boeven naar het raam.
Ze zien Bos en Loodje.
Ze zien de handen die graaien naar de
diploma's.
'Haaa!' brullen de boeven.
Ze grommen en ze staan op.
Ze knarsen met hun tanden.
De tafel valt om.
Boos gaan de boeven naar het raam.
Maar Bos en Loodje zijn al weg.
Zonder diploma hollen ze weg van de hut.
'Wat een rotkind!' zegt Bos boos.
'Nu worden we nooit een echte boef.'
'Waarom niet?' hijgt Loodje.
'Ach, hou je mond, sul.'
Snel rennen ze het bos uit.
Bif Briljant staat bij de hut.
De boeven kijken hem aan.
Ze slaan hem op zijn rug.
'Goed werk, joch!' zegt er een.
'Wie ben jij?'
'Bif, de zoon van Briljant,' zegt hij.

'Ik ben een rotkind.'
'Briljant! Die kennen we wel.
Dan zul jij vast een prima boef zijn.'
Ze geven Bif Briljant een diploma.
Een echt diploma voor boeven.
'Mijn eerste diploma,' roept Bif blij.
'Wat zal mijn vader trots op me zijn.'

En Bos en Loodje?
Bos en Loodje vinden snel ander werk.
Ze sjouwen nog steeds met een ladder.
Maar nu om ramen te wassen.
Zonder diploma.

Hoi lezer,
Leuk, dat je mijn boek hebt gelezen.
Hieronder zie je nog meer boeken van mij.
Lees ze allemaal! Veel plezier!
Groetjes,

Paul van Loon

LEESN!VEAU

	ME	ME	ME	ME	ME
AVI	S	3	4	5	6	7	P
CLIB	S	3	4	5	6	7	8	P

boeven

Toegekend door Cito i.s.m. KPC Groep

De Nederlandse
Kinderjury
2009

1e druk 2008
ISBN 978.90.276.6866.0
NUR 287

Omslagontwerp: Eefje Kuijl
Lay-out: Rob Galema
Redactie: Richard van de Waarsenburg

© foto Paul van Loon: Renate Reitler
© 2008 Tekst: Paul van Loon
Herziene uitgave van 'Bijna boeven', verschenen in 1986
Illustraties: Jan Jutte
Uitgeverij Zwijsen B.V.,Tilburg

Voor België:
Zwijsen-Infoboek, Meerhout
D/2008/1919/149